C000244521

Impressum
Verlag: BABADADA GmbH, Nedderfeld 112 , 22529 Hamburg
Geschäftsführer / Verlagsleitung: Harald Hof
Druck: Books on Demand GmbH, In de Tarpen 42, 22848 Norderstedt

Imprint
Publisher: BABADADA GmbH, Nedderfeld 112 , 22529 Hamburg, Germany
Managing Director / Publishing direction: Harald Hof
Print: Books on Demand GmbH, In de Tarpen 42, 22848 Norderstedt, Germany

escola

वद्‌यिालय

motxilla

झोला

estoig

ससिाकलम राख्ने बाकस

llapis

ससिाकलम

maquineta de fer punta al llapis

ससिाकलम तखिार्ने साधन

goma d'esborrar

रबर

diccionari visual

सचत्‌रि शब्दकोश

bloc de dibuix

चत्रि कोर्ने प्याड

dibuix

चत्रि

pinzell

पेन्ट ब्रस

caixa de pintures

पेन्टबाकस

tisores

कैंची

cola

गम

llibre d'exercicis

अभ्यास पुस्तक

deures

गृहकार्य

número

अंक

afegir

जोड

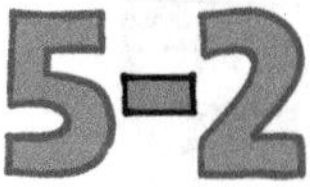

restar

घटाउ

multiplicar

गुणन

calcular

गणना

lletra

पत्र

alfabet

वर्णमाला

mot

शब्द

text

पाठ

llegir

पढ्नु

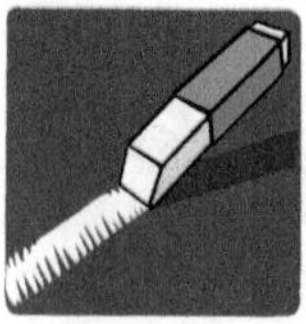

guix

चक

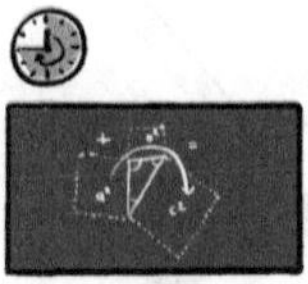

lliçó

पाठ

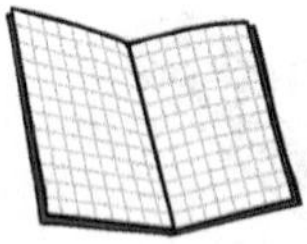

llista de classe

रजस्टिर

examen

परीक्षा

certificat

प्रमाणपत्र

uniforme escolar

वद्यिालय पोशाक

educació

शक्षिा

enciclopèdia

इन्साइक्लोपेडयिा

universitat

वशि्ववद्यिालय

microscopi

माइक्रोस्कोप

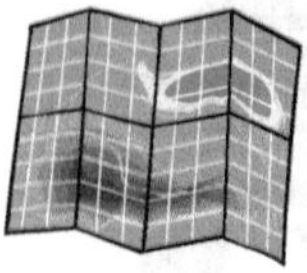

mapa

नक्शा

paperera

फोहोर-कागजको भाडा

viatge
यात्रा

idioma

भाषा

sí / no

हो / होइन

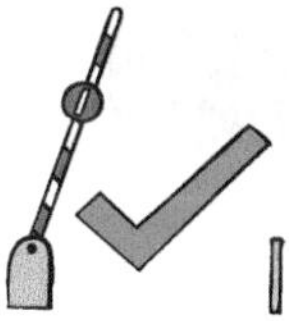

D'acord

ठीक छ

hola

हेलो

traductor

अनुवादक

gràcies

धन्यवाद

Quin és el preu...?

कति धेरै ...?

No entenc

मैले बुझिनँ

problema

समस्या

Bona nit!

शुभ सन्ध्या!

bon dia!

शुभ बिहानी!

bona nit!

शुभ रात्री!

fins aviat

बाइ बाइ

direcció

निर्देशन

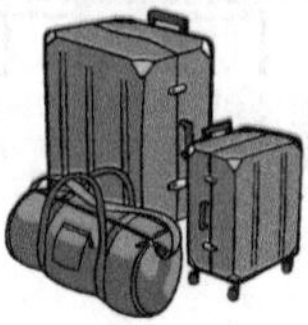

equipatge

सामान

butxaca

झोला

motxilla

झोला

convidat

अतिथि

habitació

कोठा

sac de dormir

सुत्ने झोला

tenda de campanya

पाल

informació al turista

पर्यटक सूचना

platja

समुद्र तट

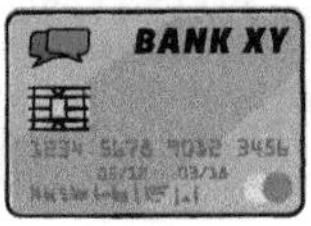

targeta de crèdit

क्रेडिट कार्ड

esmorzar

नाश्ता

dinar

भोजन

sopar

रात्रिभोज

passatge

टिकट

ascensor

लिफ्ट

segell

टिकट

frontera

सीमा

duana

भन्सार

ambaixada

दूतावास

visat

भिसा

passaport

पासपोर्ट

transport
यातायात

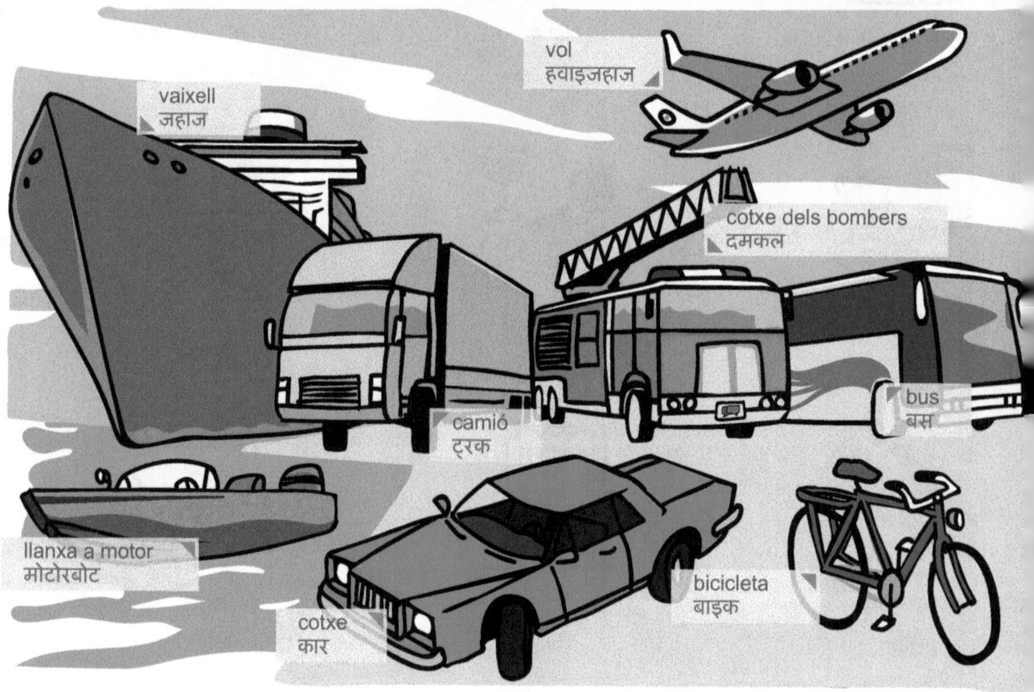

ferri
नौका

barca
डुङ्गा

moto
मोटरबाइक

cotxe de policia
प्रहरीको कार

cotxe de carreres
रेसगि कार

cotxe de lloguer
भाडाको कार

carsharing

कार शेयरङि

grua

तान्ने ट्रक

camió de les escombraries

रद्दी संग्रह

motor

मोटर

benzina

इन्धन

benzinera

पेट्रोल स्टेशन

senyal de trànsit

यातायात चन्हि

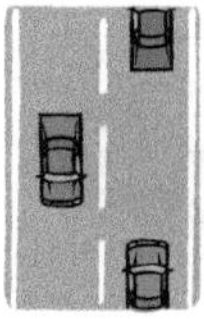

trànsit

सवारी साधन

embús

ट्राफकि जाम

aparcament

कार पार्क

estació de tren

रेल स्टेशन

rails

ट्रयाकहरू

tren

रेल

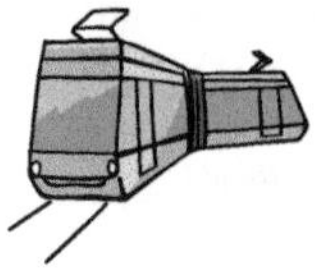

tramvia

ट्राम

vagó

गाडा

helicòpter

हेलकिप्टर

aeroport

वमिानस्थल

torre

टावर

passatger

यात्री

contenidor

कन्टेनर

capsa

दफ्ती

carro

गाडी

cistella

टोकरी

enlairar / aterrar

लनि बन्द / देशमा

ciutat

सहर

poble

गाउँ

centre de la ciutat

सहर केन्द्र

casa

घर

cabana

झुपडी घर

pis

समतल

estació de tren

रेल स्टेशन

ajuntament

सभा भवन

museu

संग्रहालय

escola

विद्यालय

universitat

विश्वविद्यालय

banc

बैंक

hospital

अस्पताल

hotel

होटल

farmàcia

फार्मेसी

oficina

कार्यालय

llibreria

पुस्तक पसल

botiga

पसल

floristeria

फूल व्यापारी

supermercat

सुपरमार्केट

mercat

बजार

grans magatzems

डिपार्टमेन्ट स्टोर

peixater

माछा व्यापारी

centre comercial

सपिङ्ग सेन्टर

port

बन्दरगाह

parc

पार्क

banc

बैंक

pont

पुल

escala

सीँढी

metre

भूमिगत

túnel

टनेल

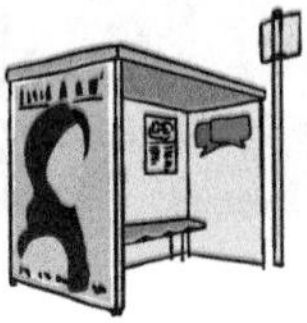

parada de l'autobús

बस बसौनी

bar

बार

restaurant

रेस्टुरेन्ट

bústia de correu

पत्र मञ्जूसा

senyal indicador

सडक चिन्ह

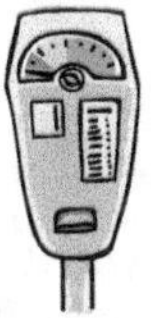

parquímetre

पार्किङ मिटर

zoo

चडियाखाना

piscina

पौडी पोखरी

mesquita

मस्जिद

granja

खेत

contaminació

प्‌रदुषण

cementiri

मसानघाट

església

चर्‌च

parc infantil

खेल मैदान

temple

मन्‌दरि

paisatge

भूदृश्य

vall

उपत्यका

muntanya

पर्वत

llac

ताल

bosc

वन

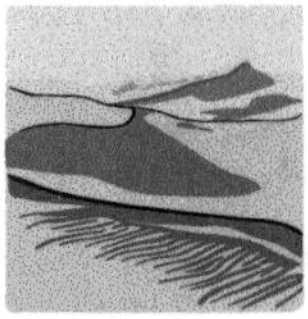

desert

मरुभूमि

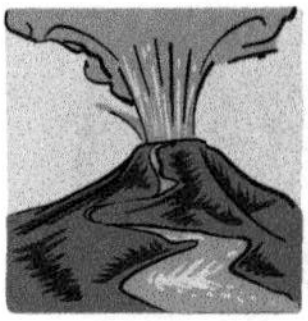

volcà

ज्वालामुखी

castell

महल

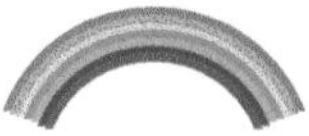

arc de Sant Martí

इन्द्रेणी

bolet

च्याउ

palmera

ताडको रुख

mosquit

लामखुट्टे

mosca

फ्लाइ

formiga

कमिला

abella

मौरी

aranya

माकुरा

escarabat

बीटल

granota

भ्यागुतो

esquirol

लोखर्के

eriçó

दुम्सी

llebre

खरायो

òliba

लाटोकोसेरो

au

चरा

cigne

हाँस

senglar

बँदेल

cérvol

जरायो

alci

ठूलो हरणि

presa

बाँध

molí

हावा कल

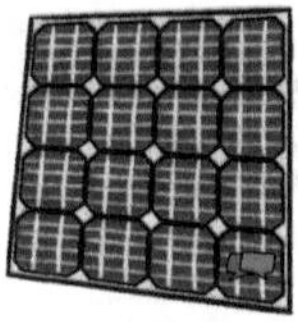

panell solar

सौर प्यानल

clima

जलवायु

restaurant
रेस्टुरेन्ट

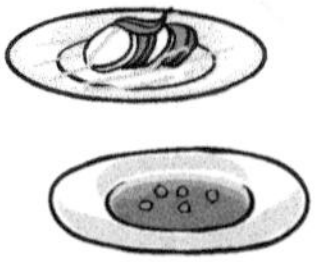

entrant

स्टार्टर

plat principal

मेन कोर्ष

postres

मिठाई

begudes

पेय

menjar

खाना

ampolla

बोतल

menjar ràpid

फास्ट फूड

menjar de carrer

स्ट्रटफिूड

tetera

चियादानी

sucrer

चिनीको कचौरा

porció

भाग

màquina d'espresso

एस्प्रेसो मेसनि

trona

अग्लो कुर्सी

factura

बलि

safata

ट्रे

ganivet

चक्कु

forquilla

काँटा

cullera

चम्चा

cullereta

चिया चम्चा

tovalló

न्याप्कनि

got

ग्लास

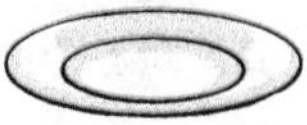

plat

थाल

plat de sopa

सूप खाने थाल

plateret

ससर

salsa

सस

saler

नुनदानी

molinet de pebre

मसला पस्निे साधन

vinagre

भनिगर

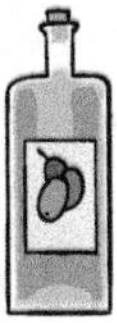

oli

तेल

espècies

मसला

quètxup

केचप

mostassa

तोरी

maionesa

मायोनेज

supermercat
सुपरमार्केट

carnisseria
बुचर

forn de pa
बेकर

moure
वजन

verdures
तरकारी

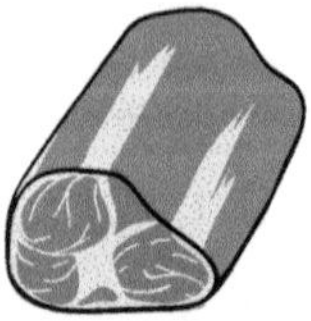
carn
मासु

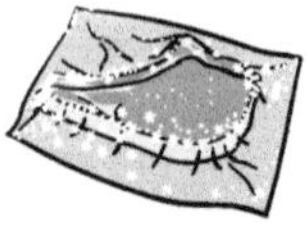
menjar congelat
जमेको खाना

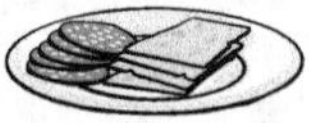

carn freda

चिसो मासु

conserves

टिनमा राखिएको खाना

detergent

लुगा धुने पाउडर

dolços

मिठाई

articles domèstics

घरायसी उत्पादन

productes de neteja

सरसफाइ सम्बन्धी उत्पादन

venedora

बिक्रेता

carro de compra

चेकआउट

caixer

कैशियर

llista de la compra

किनमेल सूची

horari d'obertura

खुल्ने समय

portamonedes

वालेट

targeta de crèdit

क्रेडिट कार्ड

bossa

झोला

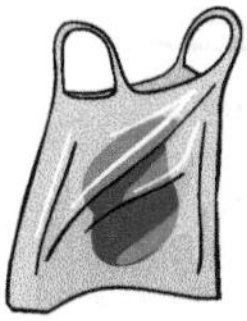

bossa de plàstic

प्लास्टिक झोला

aigua

पानी

suc

जुस

llet

दूध

coca-cola

कोक

vi

वाइन

cervesa

बयिर

alcohol

रक्सी

cacau

कोका

te

चयिा

cafè

कफी

espresso

एस्परेसो

cappuccino

क्यापचिनो

menjar
खाना

plàtan

केरा

poma

स्याउ

taronja

सुन्तला

síndria

खरबुजा

llimona

कागती

pastanaga

गाजर

all

लसुन

bambú

बाँस

ceba

प्याज

bolets

च्याउ

nous

काष्ठफल

fideus

चाउचाउ

espagueti

स्पेगेटी

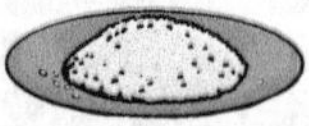

arròs

चामल

amanida

सलाद

patates fregides

चप्स

patates saltejades

तारेको आलु

pizza

पज़्जा

hamburguesa

ह्यामबर्गर

sandvitx

स्याण्डविचि

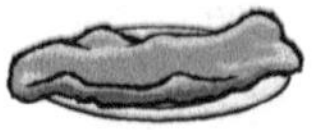

escalopa

कटलेट

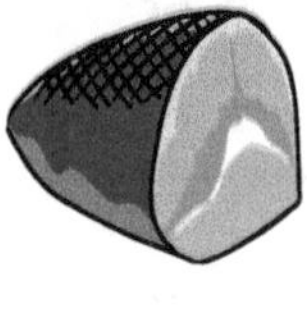

pernil

ह्याम

salami

सलामी

salsitxa

ससेज

pollastre

कुखुराको मासु

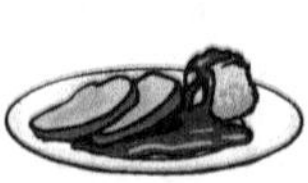

rostit

पोलेको

peix

माछा

flocs de civada

पोरजि जौं

musli

मुसेली

cereals

कर्नफ्लेक्स

farina

पीठो

croissant

क्रोइसेन्ट

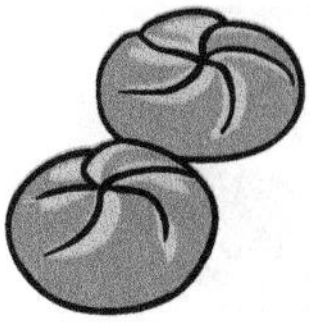

panet

बन रोटी

pa

रोटी

torrada

टोष्ट

galeta

बस्किुट

mantega

बटर

quark

दही

pastís

केक

ou

अन्डा

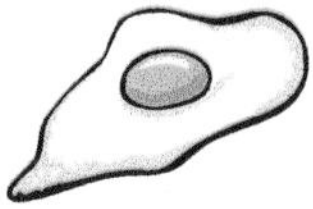

ou fregit

तारेको अन्डा

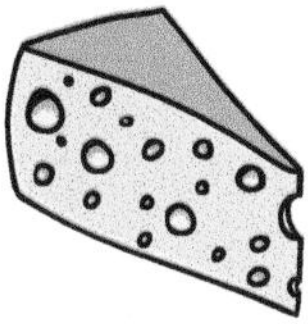

formatge

चजि

gelat

आइसक्रिम

sucre

चिनी

mel

मह

melmelada

जाम

crema de xocolata

चकलेट स्प्रेड

curri

करी

granja
खेत

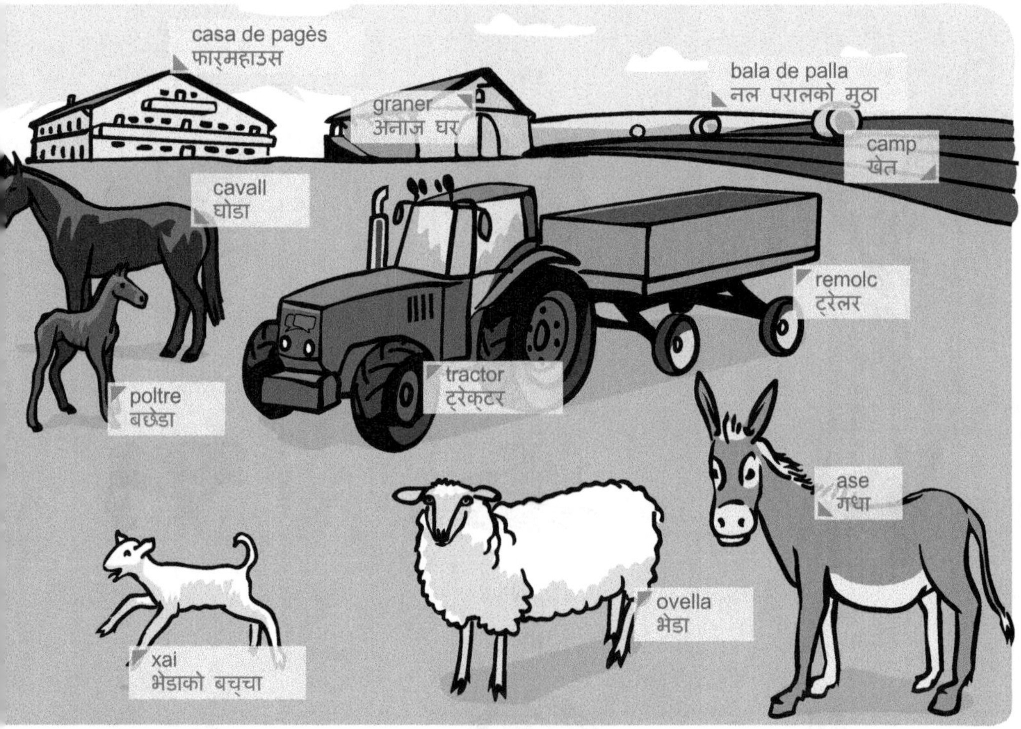

cabra

बाख्रा

vaca

गाई

vedella

बाच्छो

porc

सुँगुर

garrí

सुँगुरको बच्चा

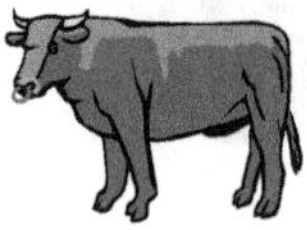

bou

साँढे

oca

हांस

ànec

हाँस

pollet

चल्ला

gall

कुखुरा

gallina

भाले

rata

मुसा

gat

बिरालो

ratolí

मुसा

bou

गोरु

gos

कुकुर

caseta del gos

कुकुरको घर

mànega de reg

गार्डेन हाउस

regadora

हजारी

dalla

स्काइथी

arada

हलो

falç

सकिल

aixada

कोदालो

rastell

दाती

destral

बन्चरो

carretó

एक पांग्रे ठेलागाडी

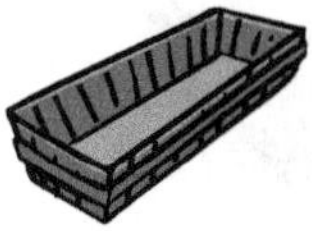

tina

गर्त

bidó de llet

दूधको क्यान

sac

बोरा

tanca

फेन्स

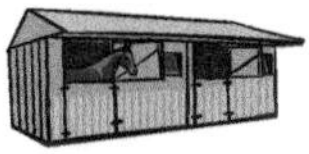

estable

स्थरि

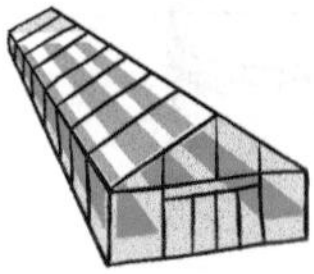

hivernacle

ग्रनिहाउस

sòl

माटो

sac

बीउ

abonament

मल

recol·lector

कम्बाइन हार्वेस्टर

collir

खेत गर्नु

recol·lecció

खेति

arrel de nyam

याम्स

blat

गहुँ

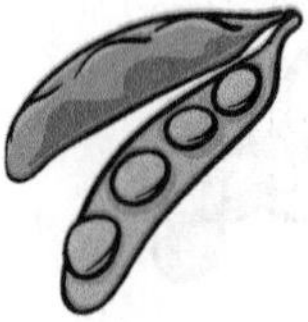

soja

सोया

patata

आलु

blat de moro

मकै

colza

रूयापसडि

arbre fruiter

फल रूख

mandioca

कास्साभा

cereals

अनाज

casa

घर

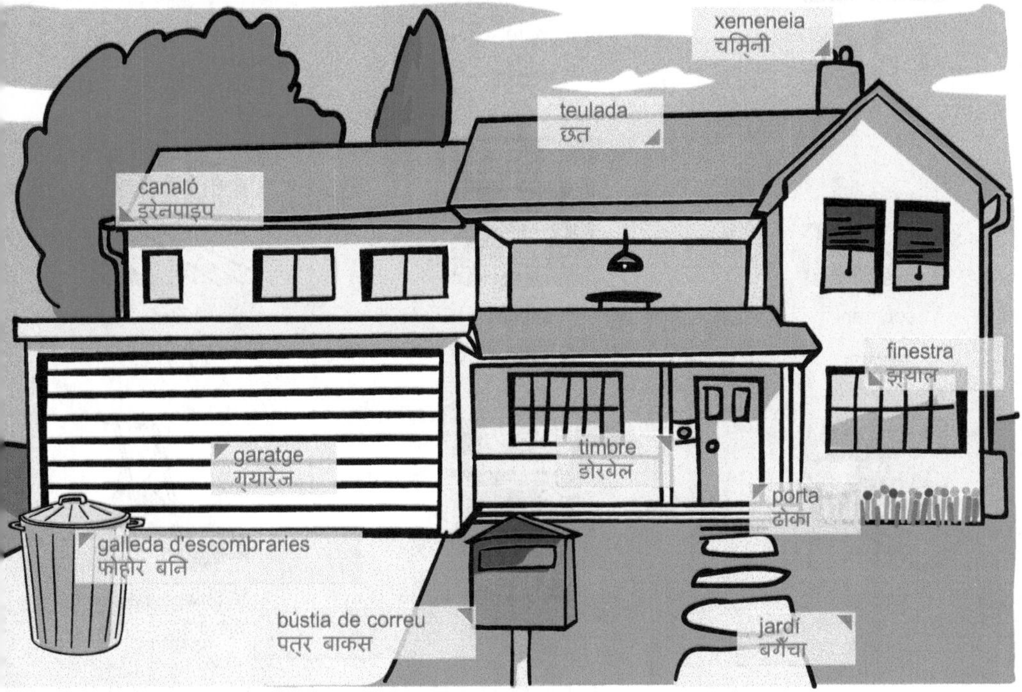

saló

बैठक कोठा

bany

बाथरूम

cuina

भान्सा

dormitori

बेडरूम

habitació dels nens

बालबालकिाको कोठा

menjador

भोजन कक्ष

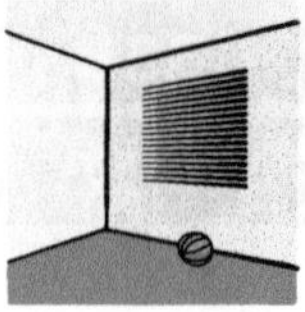

sòl

तल्ला

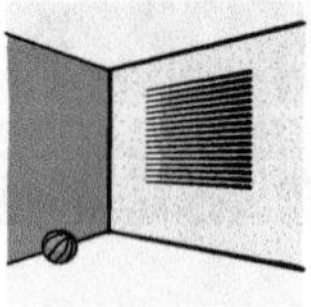

paret

पर्खाल

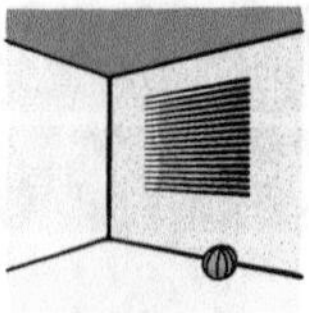

sostre

सलिङ

soterrani

तहखाना

sauna

सौना

balcó

बाल्कोनी

terrassa

छत

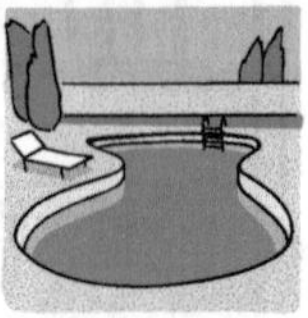

piscina

पोखरी

tallagespa

लनमोवर

cobertor

पाना

cobrellit

च्यादर

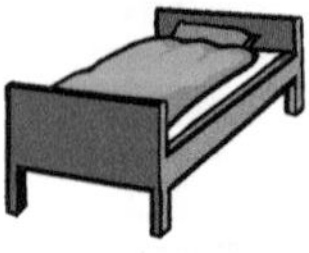

llit

ओछ्यान

escombra

कुचो

galleda

बाल्टनि

interruptor

स्वचि

saló
बैठक कोठा

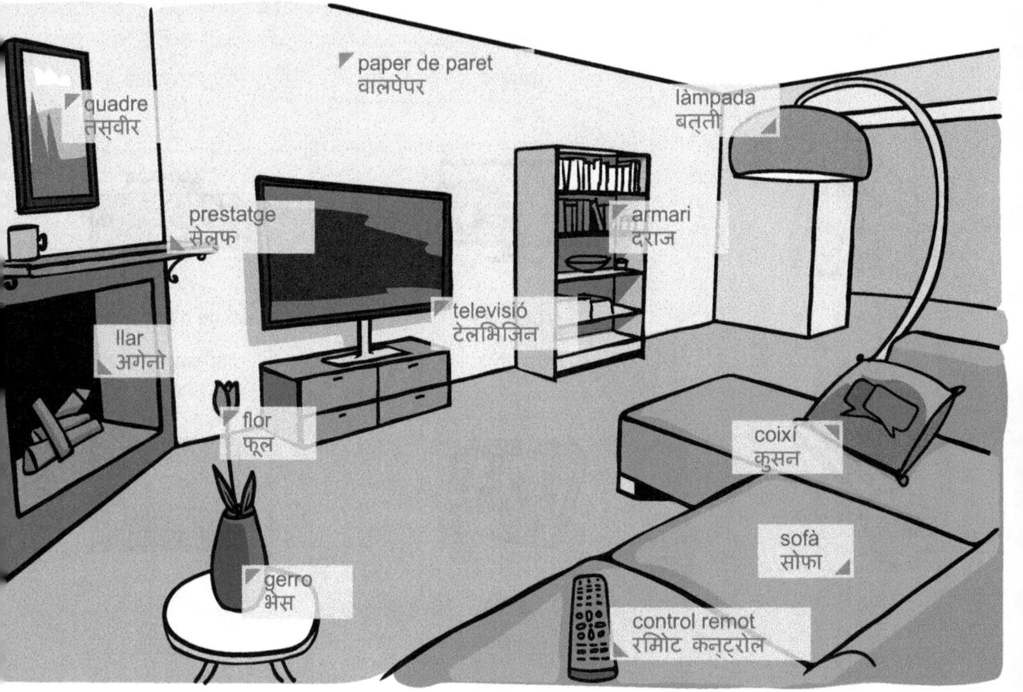

catifa

गलैंचा

cortina de dutxa

पर्दा

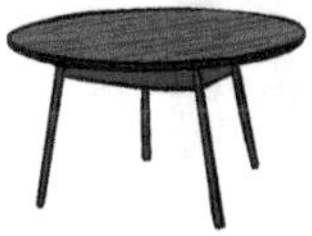

taula

तालकिा

cadira

कुर्सी

balancí

घोडा कुर्सी

butaca

सोफा

llibre

पुस्तक

llençol

कम्बल

decoració

सजावट

foguera

दाउरा

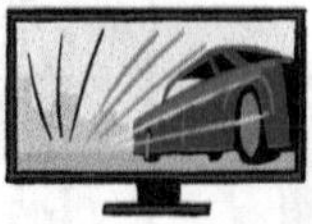

pel·lícula

चलचत्रि

equip de música estèreo

हाइ-फाइ उपकरण

clau

साँचो

diari

पत्रकि

pintura

तस्वीर

pòster

पोस्टर

ràdio

रेडयिो

bloc de notes

नोटप्याड

màquina aspiradora

हुभर

cactus

सउिँडी

candela

मैनबत्ती

cuina
भान्सा

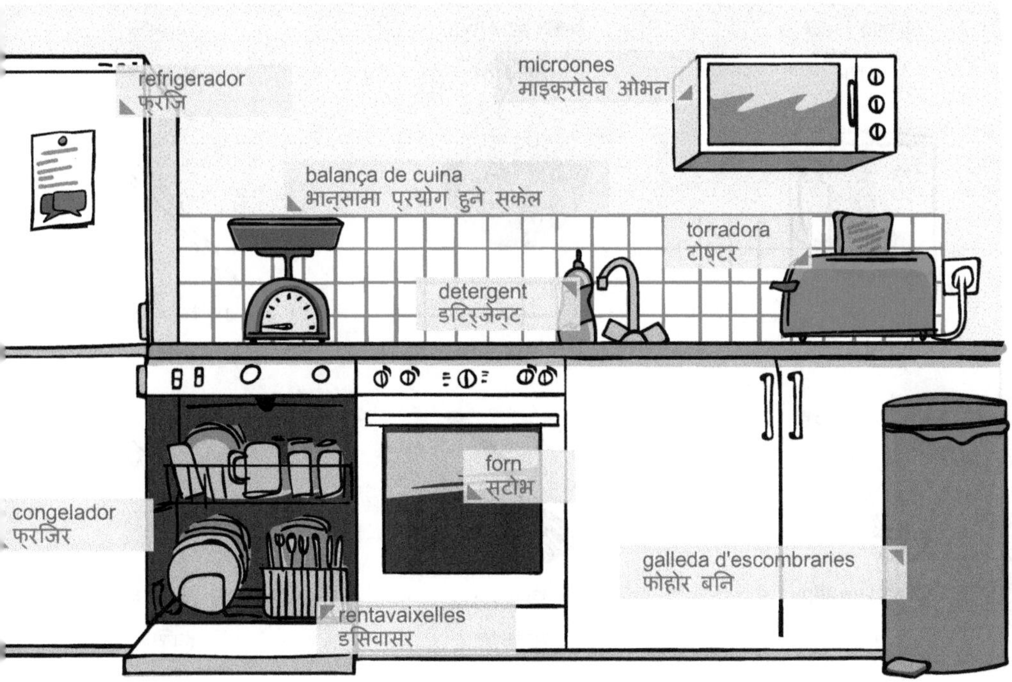

fogons

कुकर

olla

भाँडा

olla de ferro colat

डाली-फलाम पट

wok / kadai

वक / कराइ

paella

प्यान

bullidor

केतली

olla de vapor

स्टीमर

safata de forn

बेकङि ट्रे

vaixella

क्रक्केरी

tassó

मग

bol

कचौरा

palets xinesos

चपस्टकि

cullerot de sopa

डाडु

espàtula

सपाचुला

varetes

ह्वस्कि

colador

स्ट्रेनर

tamís

चाल्नी

ratllador

ग्रेटर

morter

मोर्टार

barbacoa

बार्बक्यिु

fogó

खुला आगो

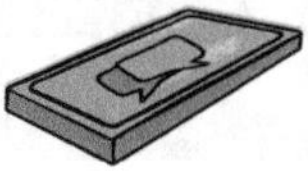

taula de tallar

चपङि बोर्ड

corró

रोलङि पेन

llevataps

कर्कस्क्रू

llauna

क्यान

obrellaunes

क्यान खोल्ने साधन

agafador

भाँडा पुछ्ने कपडा

aigüera

सङ्कि

raspall

ब्रश

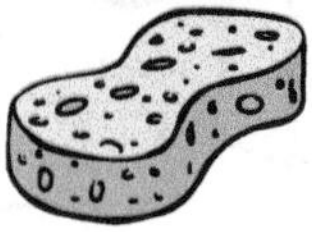

esponja

स्पोन्ज

batedora

ब्लेन्डर

cambra de congelació

डपि फ्रजिर

biberó

बेबी बोतल

aixeta

धारा

bany

बाथरूम

lavabo

शौचालय

lavabo turc

स्क्वाट टोइलेट

bidet

बडिट

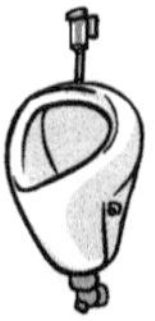

urinari

युरनिल

paper higiènic

शौचालयमा प्रयोग गर्ने कागज

raspall per a inodor

शौचालय ब्रश

raspall de dents

गदाँत माझ्ने ब्रुस

pasta de dents

दन्त मन्जन

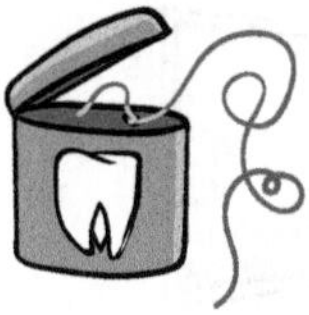

fil dental

डेन्टल फ्लोस

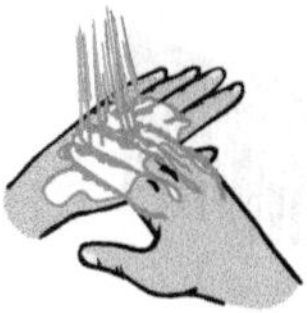

rentar

धुनु

dutxa

हाते शावर

dutxa íntima

डची

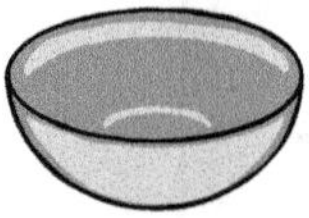

palangana

बेसनि

raspall per a l'esquena

ब्याक ब्रस

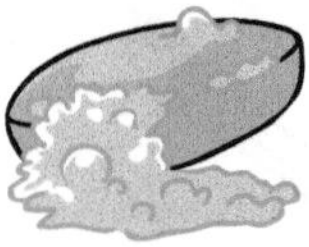

sabó

साबुन

gel de dutxa

शावर जेल

xampú

स्याम्पु

manyopla

फ्लानेल

desguàs

नाली

crema

क्रमि

desodorant

दुर्गन्ध हटाउने अत्तर

mirall

ऐना

mirall de mà

हाते ऐना

maquineta d'afaitar

रेजर

escuma d'afaitar

सेभिङ फोम

loció per després de l'afaitada

आफ्टसेभ

raspall de cap

काइयो

raspall

ब्रस

assecador

हेयर ड्रायर

laca

हेयरस्प्रे

maquillatge

श्रृंगार सामग्री

pintallavis

लिपिस्टिक

esmalt d'ungles

नङ वार्निश

cotó

कपास ऊन

tisores d'ungles

नङ काट्ने कैंची

perfum

अत्तर

necesser

वाशब्याग

tamboret

मल

bàscula

वजन नाप्ने यन्त्र

barnús

बाथरोब

guants de goma

रबर पन्जा

tampó

ट्याम्पन

compresa

सेनेटरी तौलिया

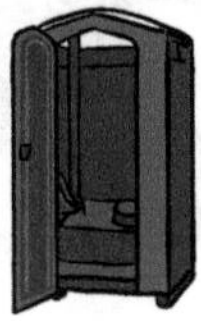

vàter químic

रासायनकि शौचालय

habitació dels nens
बालबालकिाको कोठा

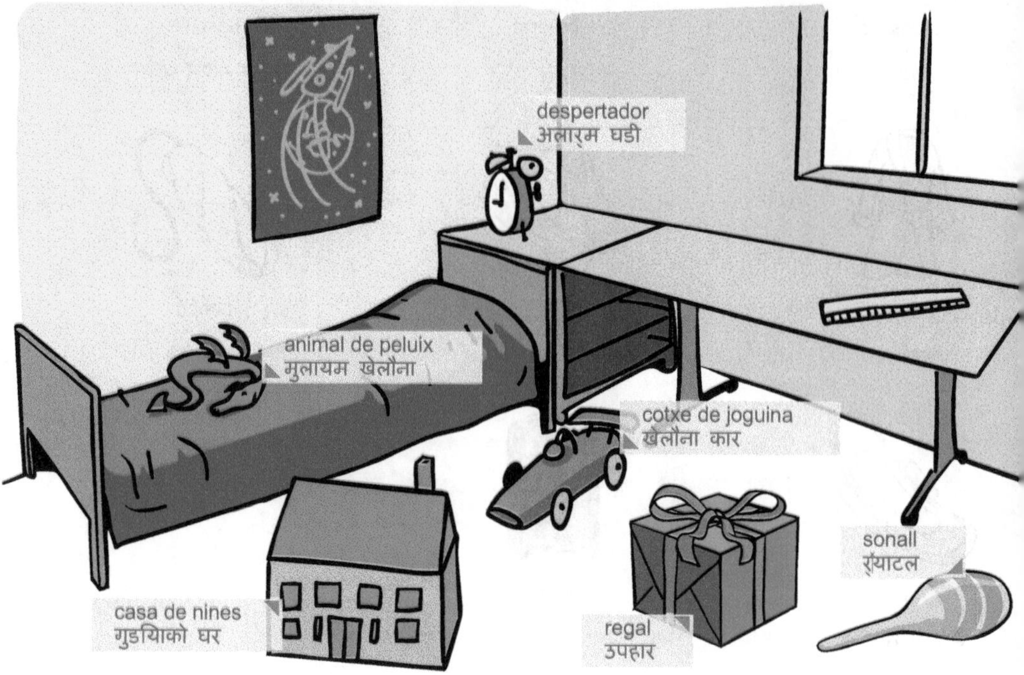

globus

बेलुन

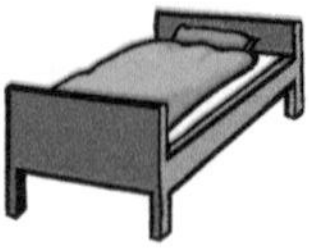

llit

ओछ्यान

cotxet per a nens

बच्चा डुलाउने गाडी

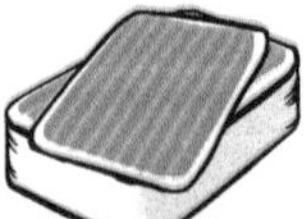

baralla de cartes

तासको डेक

trencaclosques

जगि्स

còmic

कमकि

peces de lego

लेगो इट्टा

pedres de construcció

खेलौना ब्लक

ninot d'acció

कार्य आंकडा

vestit d'una peça

बेबग्रिो

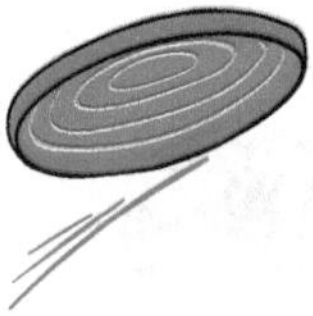

frisbee

फ्रसिबी

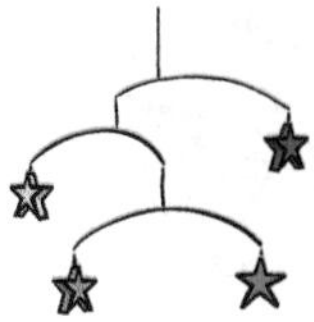

mòbil per a bressol

मोबाइल

joc de taula

खेल पट्टी

daus

डाइस

tren elèctric

नमुना रेल सेट

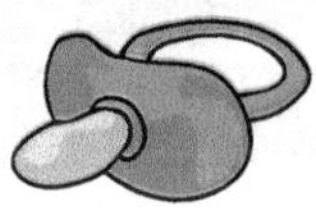

xumet

कृत्रमि

festa

पार्टी

llibre de dibuixos

तस्वीर पुस्तक

pilota

बल

nina

गुडयिा

jugar

खेल्नु

calaix de sorra

स्याण्डपटि

gronxador

स्वङि

joguines

खेलौना

consola de videojocs

भिडियो गेम कन्सोल

tricicle

ट्रसिाइकल

osset de peluix

टेड्डी भालु

armari

दराज

roba

कपडा

mitjons

मोजा

mitges

स्टकङि

mitges

पेन्टी

xal
रूमाल
paraigua
छाता
cinturó
बेल्ट
samarreta
टि-शर्ट
botes
जुत्ता
sabatilles
चप्पल
sabates esportives
ट्रेनर्स
sandàlies
चप्पल
sabates
जूता
botes de goma
रबर जूत्ता
calçotets
भित्रिकट्टु
sostenidor
ब्रा
armilla
बण्डी

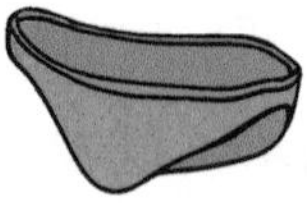

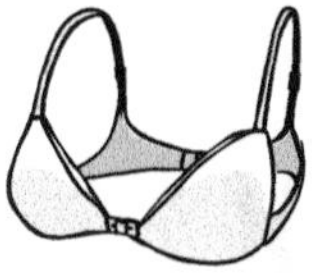

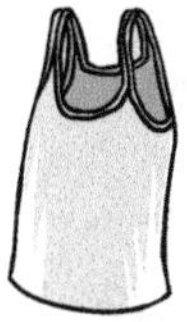

body

शरीर

pantalons

ट्राउजर

texans

जीन्स

faldilla

स्कर्ट

brusa

ब्लाउज

camisa

शर्ट

suèter

स्वेटर

suèter

हुड

blazer

ब्लेजर

jaqueta

ज्याकेट

abric

कोट

impermeable

बर्षादी

disfressa

पोशाक

vestit

पोशाक

vestit de núvia

ववािहको पोशाक

vestit d'home

सूट

camisa de dormir

नाइटगाउन

pijama

पाइजामा

sari

साडी

mocador de cap

हेडस्कार्फ

turbant

पगरी

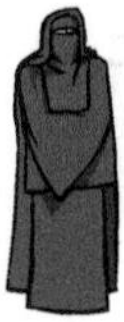

burca

बुर्का

caftà

काफ्टन

abaia

अबया

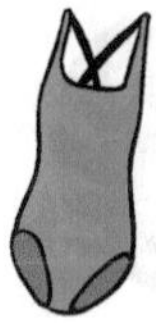

banyador

स्वमिसुट

banyador d'home

ट्रङ्क

pantalons curts

कट्टु

xandall

ट्र्याकसुट

davantal

एप्रन

guants

पन्जा

botó

टाँक

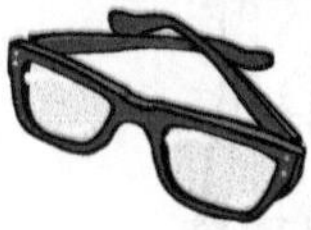

ulleres

चश्मा

braçalet

बाला

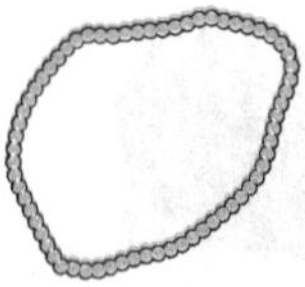

collaret

हार

anell

औँठी

arracada

झुम्का

gorra

टोपी

perxa

कोट लुगा झूण्ड्याउने साधन

barret

टोपी

corbata

टाई

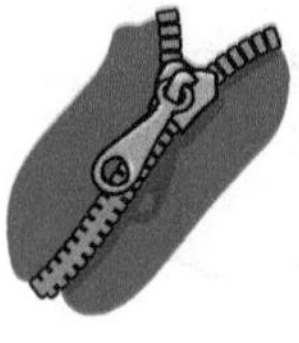

cremallera

जपि

casc

हेल्मेट

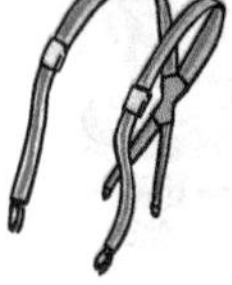

tirants

ब्रासेस

uniforme escolar

वद्यिालय पोशाक

uniforme

पोशाक

pitet

बबि

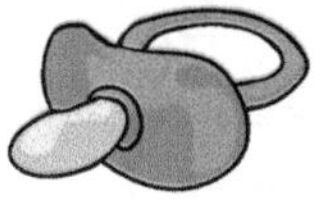

xumet

कृत्रमि

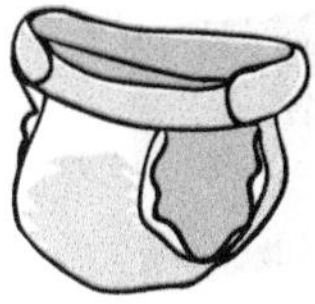

bolquer

न्याप्पी

oficina

कार्यालय

tassa de cafè

कफी मग

calculadora

क्याल्कुलेटर

Internet

इन्टरनेट

portàtil

ल्यापटप

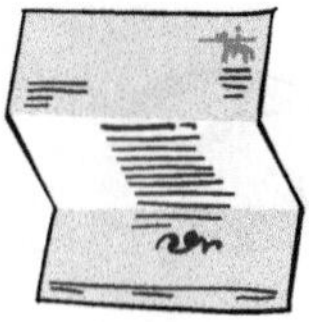

carta

पत्र

missatge

सन्देश

mòbil

मोबाइल

xarxa

नेटवर्क

màquina fotocopiadora

फोटोकपीयर

software

सफ्टवेयर

telèfon

टेलफिोन

caixa d'endoll

प्लग सकेट

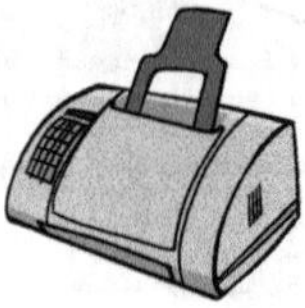

fax

फ्याक्स मेसनि

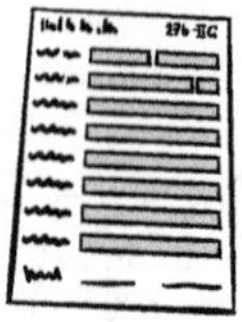

formulari

फारम

document

कागजात

economia

अर्थव्यवस्था

comprar

कनि्न

pagar

भुक्तानी गर्नु

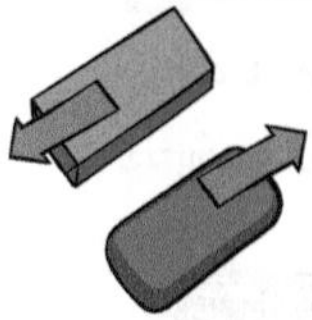

actuar

व्यापार गर्नु

diners

पैसा

dòlar

डलर

euro

यूरो

ien

येन

ruble

रुबल

franc suís

स्वसि फ्र्याङ्क

renminbi yuan

रेन्मन्बिी युआन

rupia

रुपैयाँ

caixer automàtic

पैसा तर्नि ठाउँ

oficina de canvi

वनिमिय कार्यालय

or

सुन

plata

चाँदी

petroli

तेल

energia

ऊर्जा

preu

मूल्य

contracte

समझौता

impost

कर

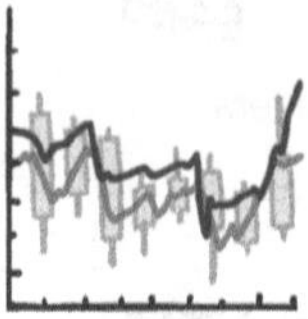

acció

स्टक

treballar

काम

empleat

कर्मचारी

empresari

कर्मचारी

fàbrica

कारखाना

botiga

पसल

ocupacions
व्यवसायहरु

jardiner

माली

fuster

सकिर्मी

costurer

लुगा सिउने माहलिा

jutge

न्यायाधीश

químic

औसधी पसले/व्यवसायी

actor

अभिनेता

conductor d'autobús

बस चालक

taxista

ट्याक्सी चालक

pescador

माछा मार्ने

dona de la neteja

कुचीकार महिला

treballador de sostres

रुफर

cambrer

वेटर

caçador

शिकारी

pintor

चित्रकार

forner

बेकर

electricista

बिजुली

obrer de la construcció

निर्माणकर्ता

enginyer

इन्जिनियर

carnisser

कसाई

lampista

प्लम्बर

carter

हुलाकी

soldat

सैनिक

arquitecte

आर्कटिक्ट

caixer

कैशियर

florista

फूल बेच्ने व्यक्ति

perruquer

हेयरड्रेसर

revisor

संचालक

mecànic

मिस्त्री

capità

कप्तान

dentista

दन्त चिकित्सक

científic

वैज्ञानिक

rabí

राबी

imam

इमाम

monjo

भिक्षु

cura

पादरी

eines

औजार

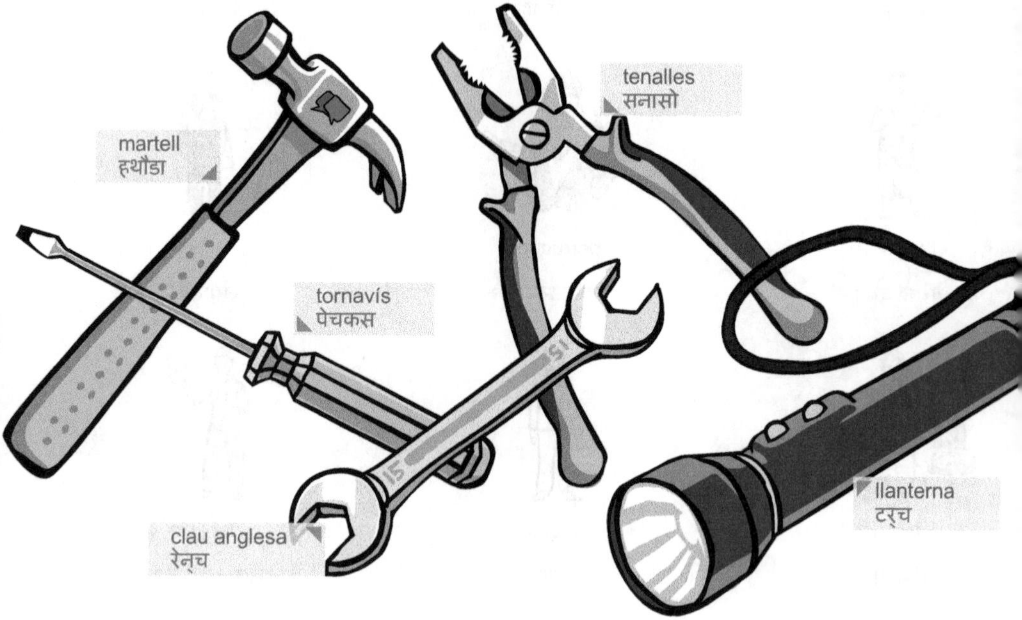

excavadora

खोदक मेसिन

caixa d'eines

औजारबाकस

escala

भर्‍याङ

serra

आरा

clau

नङ

trepant

ड्रिल

reparar

मर्मत गर्नु

pala

बेल्चा

Merda!

अरे!

recollidor

डस्टप्यान

colorant

रंगदानी

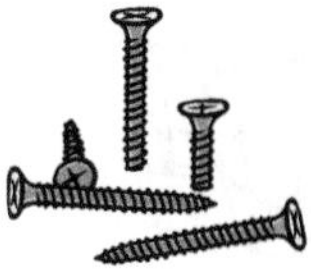

cargolar

स्क्रू

instrument de música

वाद्ययंत्र

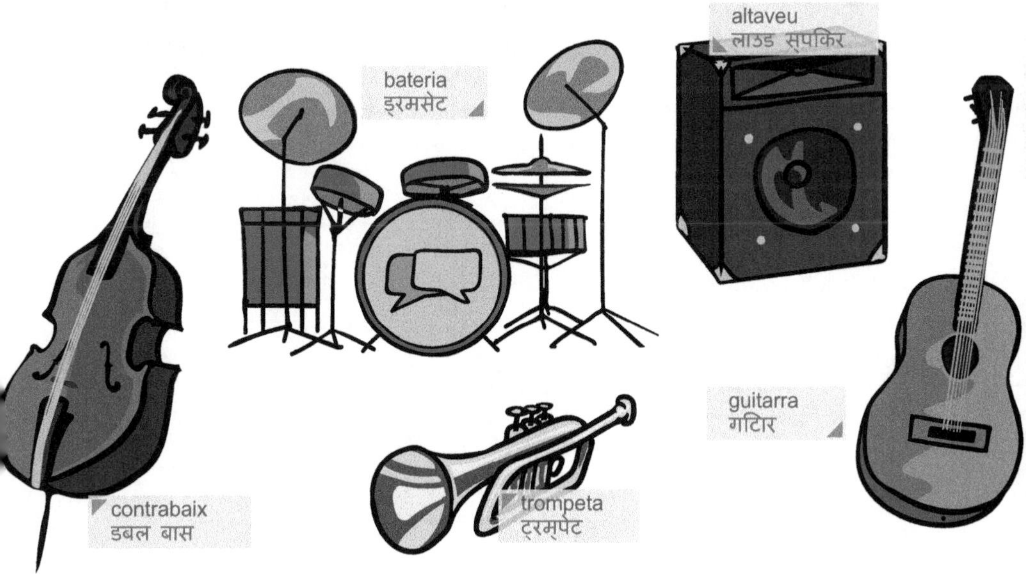

piano

पियानो

violí

बेला

baix

बास

timbal

टिम्पानी

tambor

ड्रम

teclat

किबोर्ड

saxofon

स्याक्सोफोन

flauta

बांसुरी

micròfon

माइक्रोफोन

ZOO
चडियिाखाना

animals

जनावर

elefant

हात्ती

cangur

कङगारु

rinoceront

गैंडा

goril·la

गुरल्लिा

ós

खैरो भालु

camell

ऊंट

estruç

अस्ट्रचि

lleó

सहि

mico

बाँदर

flamenc

फ्लामङ्गिो

papagai

सुगा

ós polar

सेतो हमिाली भालु

pingüí

पेङ्गुइन

tauró

सार्क

paó

मयूर

serp

सर्प

cocodril

गोही

guardià del zoo

चडियिाखानाको मालकि

foca

सलि

jaguar

जगुआर

poni

घोडाको बच्चा

lleopard

चितुवा

hipopòtam

जलगैंडा

girafa

जरिाफ

àliga

चील

senglar

बँदेल

peix

माछा

tortuga

कछुवा

morsa

वालरस

guineu

स्यालले

gasela

ग्याजल

esports

खेल

futbol americà

फुटबल

bàdminton

ब्याडमन्टिन

atletisme

एथलेटिक्स

handbol

ह्यान्डबल

esquí

स्कि

polo

पोलो

activitats
गतविधिहिरू

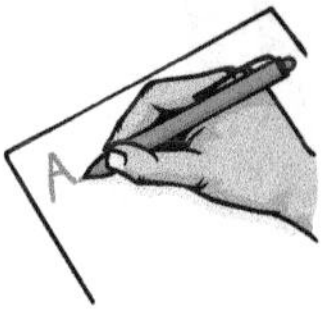
escriure
लेख्नु

dibuixar
कोर्नु

mostrar
देखाउनु

empènyer
धकेल्नु

donar
दिनु

prendre
लिनु

tenir

छ

fer

गर्नु

ésser

हुन

estar dempeus

उभनिु

córrer

दौडनु

tirar

तान्नु

llençar

फ्याँक्नु

caure

तल लड्नु

jeure

पल्टनिु

esperar

प्रतीक्षा

portar

ल्याउनु

asseure

बस्नु

arrencar

लुगा लगाउनु

dormir

नदिाउनु

despertar-se

उठ्नु

contemplar

हेर्नु

plorar

रुनु

acariciar

स्पर्श गर्नु

pentinar

कोर्नु

parlar

बोल्नु

comprendre

बुझ्न

preguntar

सोध्न

sentir

सुन्नु

beure

पिउनु

menjar

खानु

ordenar

सुव्यवस्थित गर्नु

estimar

प्रेम गर्नु

cuinar

पकाउनु

conduir

ड्राइभ गर्नु

volar

उड्नु

navegar

सेल

calcular

गणना

llegir

पढ्नु

aprendre

सिक्नु

treballar

काम

casar-se

विवाह गर्नु

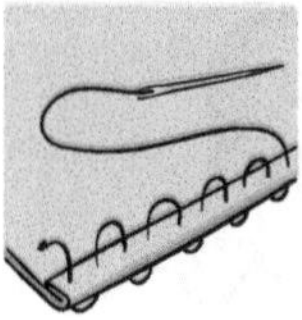

cosir

सिउनु

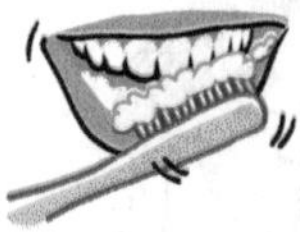

rentar les dents

दाँत माझ्नु

matar

मार्न

fumar

धुवाँ

enviar

पठाउन

convidat

अतथिि

tia

अन्टी

oncle

अंकल

germà

भाइ

germana

बहनिी

cos

शरीर

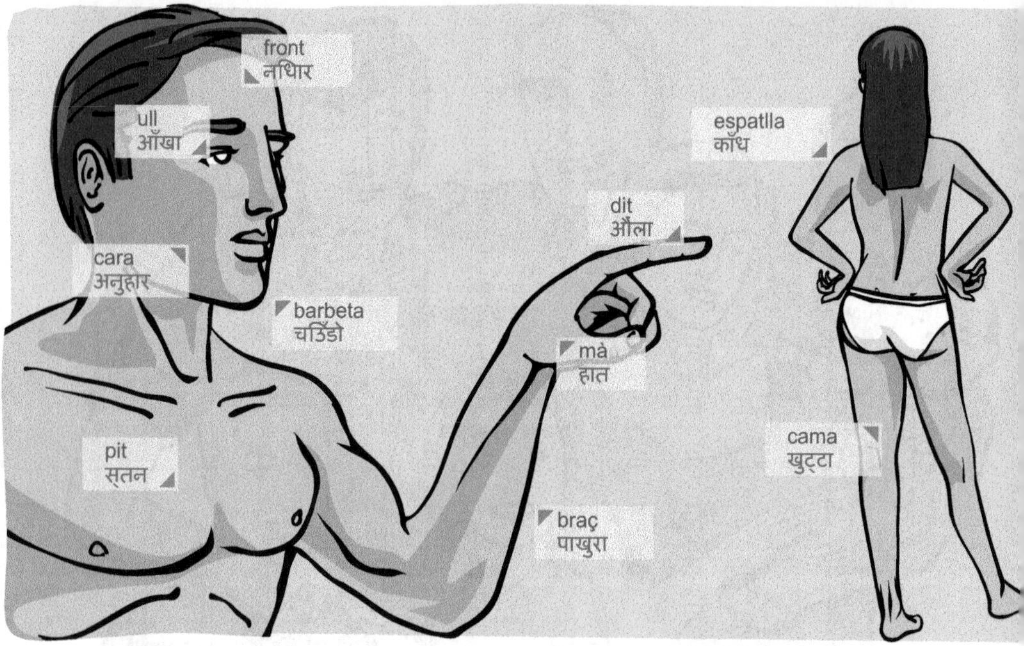

bebè

बच्चा

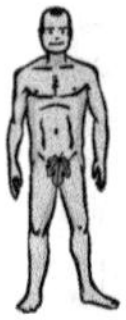

home

मानसि

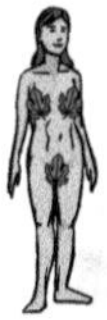

dona

महलिा

noia

केटी

noi

केटा

cap

टाउको

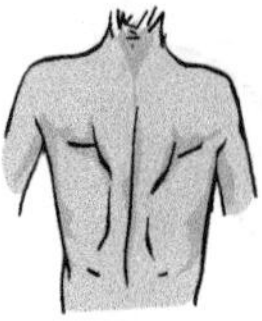

esquena

ढाँड

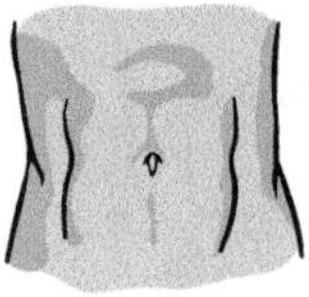

panxa

पेट

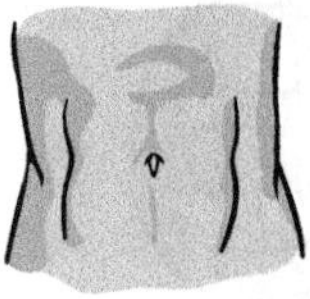

melic

नाइटो

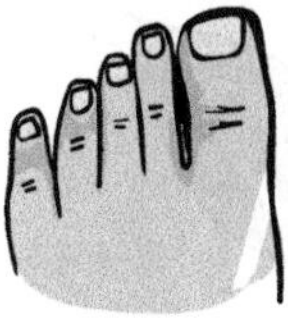

dit gros del peu

खुट्टाको बुडि औंला

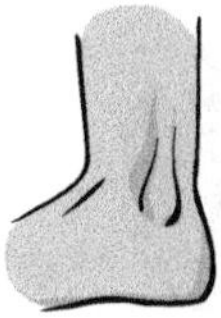

taló

कुर्कुच्चा

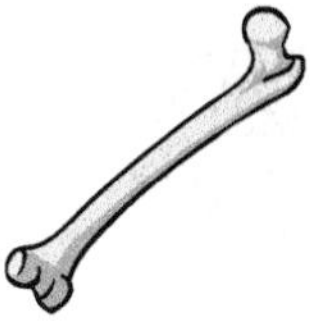

os

हड्डी

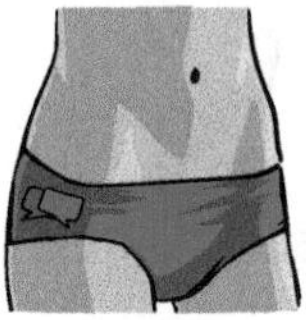

maluc

हपि

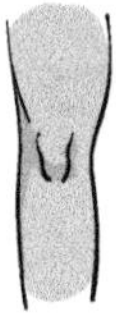

genoll

घुँडा

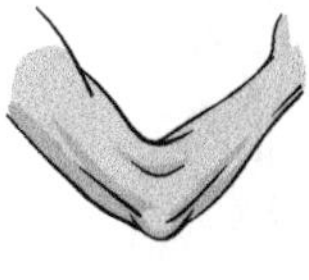

colze

कुहिनो

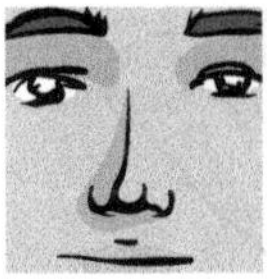

nas

नाक

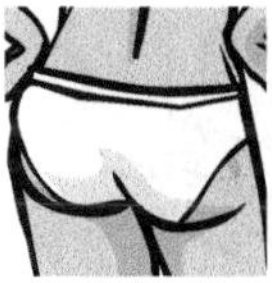

cul

नतिम्ब

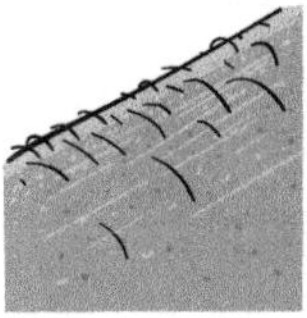

pell

छाला

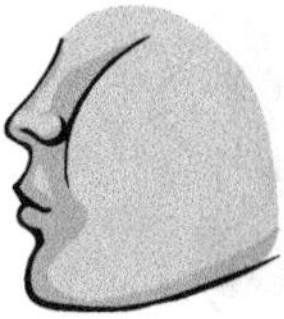

galta

गाला

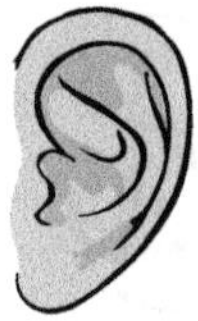

orella

कान

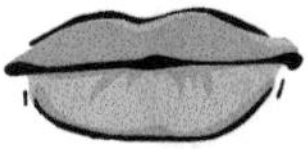

llavi

ओठ

boca

मुख

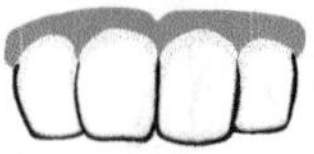

dent

दाँत

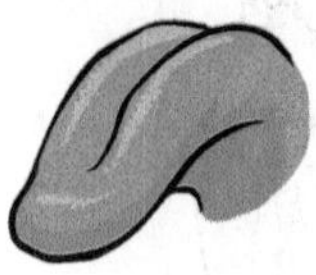

llengua

जब्रो

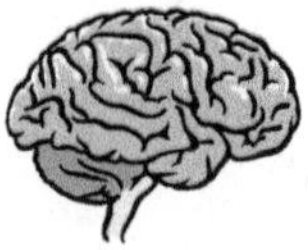

cervell

मस्तष्कि

cor

मुटु

múscul

मांसपेशी

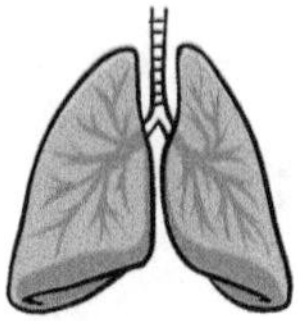

pulmó

फोक्सो

fetge

कलेजो

estómac

पेट

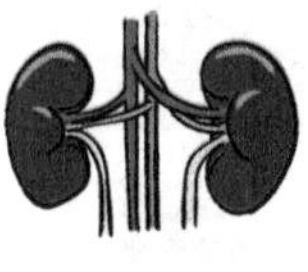

ronyó

मृगौलाहरू

sexe

यौन सम्पर्क

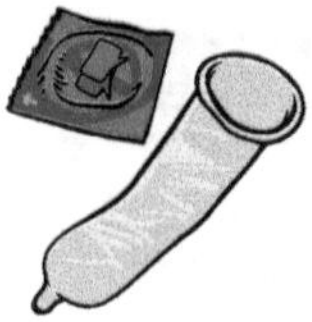

condó

कण्डम

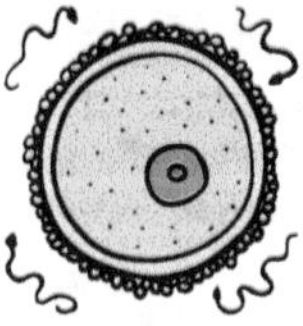

òvul

□□□□

semen

वीर्य

embaràs

गर्भावस्था

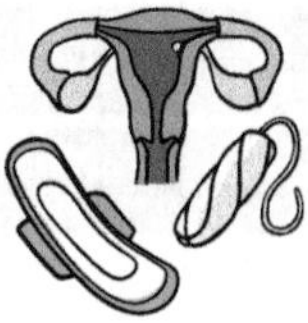

menstruació

महिनावारी

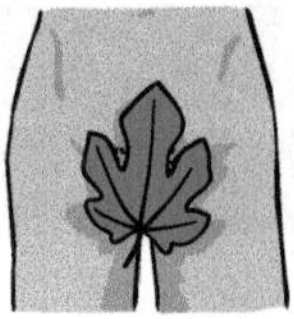

vagina

योनी

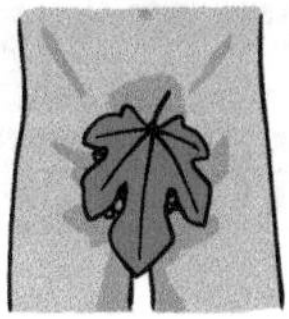

penis

लिङ्ग

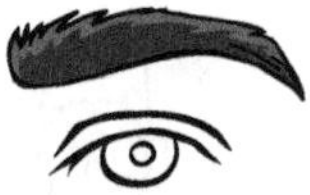

cella

आँखीभौं

cabell

कपाल

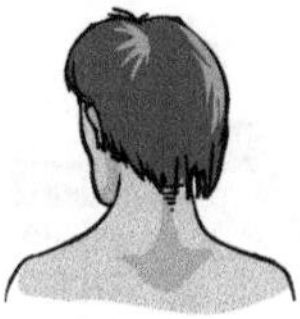

coll

घाँटी

hospital
अस्पताल

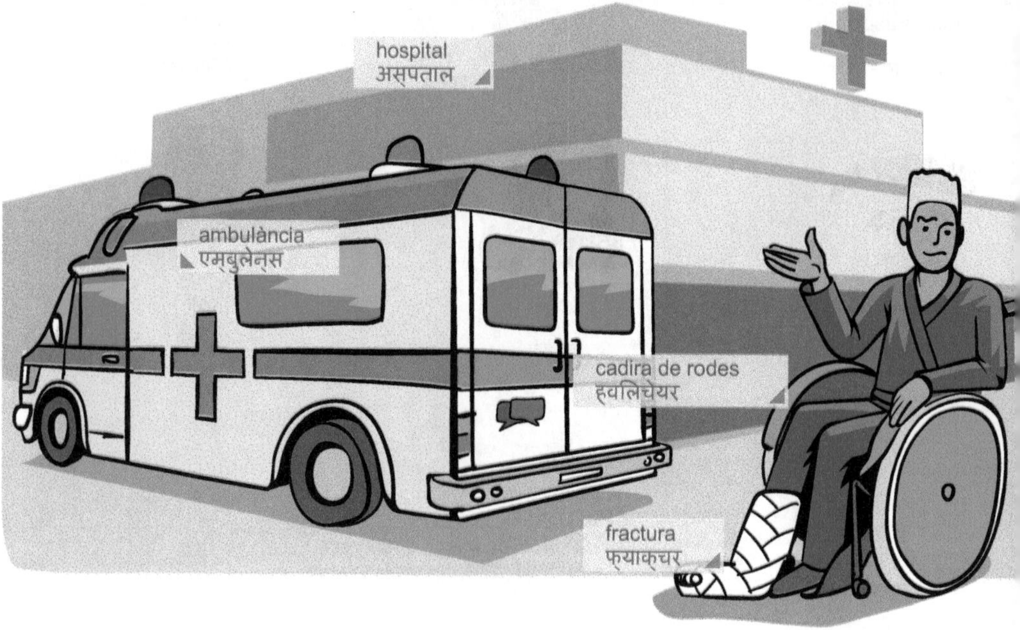

doctor

डाक्टर

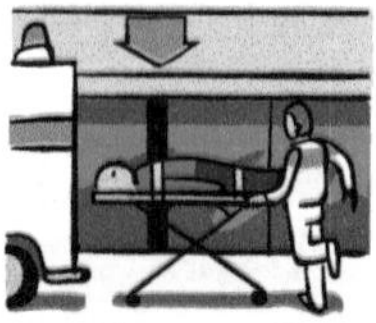

sala d'emergències

आकस्मकि कक्ष

infermera

नर्स

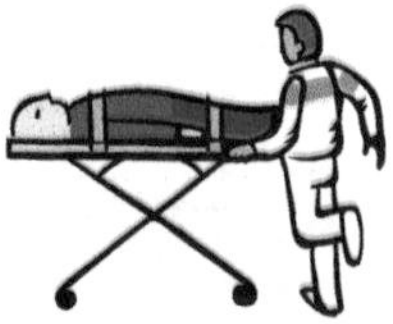

emergència

आकस्मकि

inconscient

अचेत

dolor

दुखाइ

ferida

चोटपटक

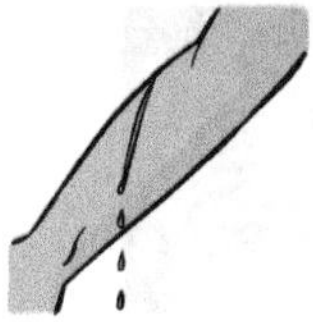

sagnat

रक्तस्राव

atac de cor

हृदयघात

apoplexia

आघात

al·lèrgia

एलर्जी

tos

खोकी

febre

ज्वरो

grip

फ्लू

diarrea

झाडापखाला

mal de cap

टाउको दुखाइ

càncer

क्यान्सर

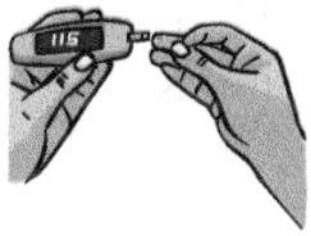

diabetis

मधुमेह

cirurgià

शल्यचिकित्सक

escalpel

स्काल्पल

operació

शल्यक्रिया

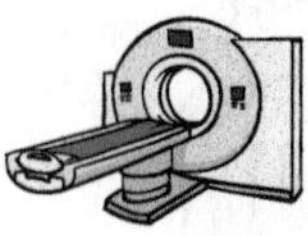

TAC

सीटी

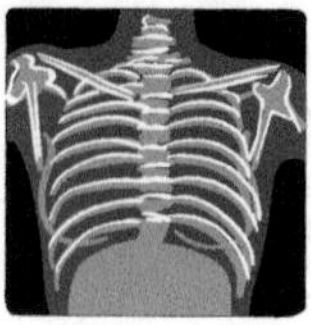

raigs x

एक्स-रे

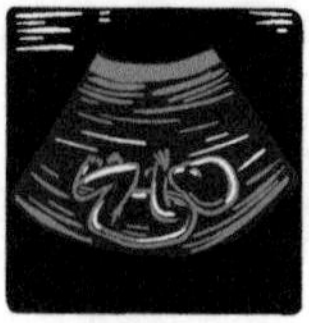

ultrasò

अल्ट्रासाउण्ड

mascareta facial

अनुहार मास्क

malaltia

रोग

sala d'espera

प्रतीक्षालय

crossa

बैसाखी

tireta

प्लास्टर

embenat

पट्टी

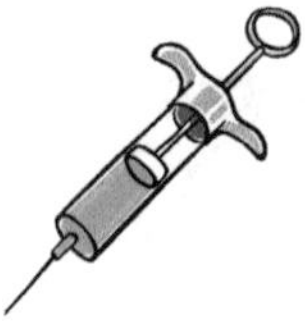

injecció

सुइ

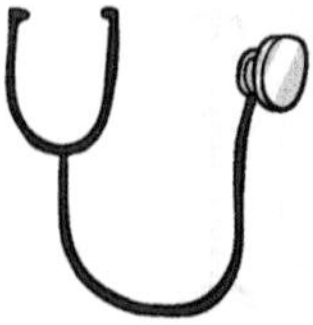

estetoscopi

स्टेथोस्कोप

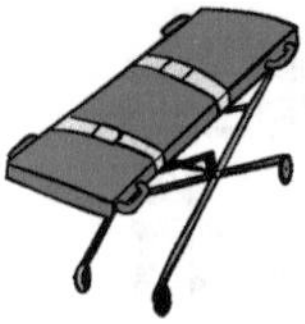

llitera

स्ट्रेचर

termòmetre clínic

क्लिनिकिल थर्मोमटिर

naixement

जन्म

sobrepès

बढी तौल भएको

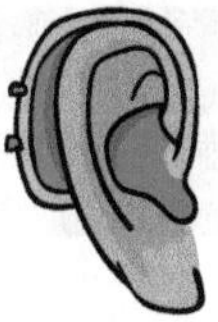

audiòfon

सुनुवाइ सहायक

desinfectant

नसि्संक्रामक

infecció

संक्रमण

virus

भाइरस

VIH / SIDA

एचआईभी / एड्स

medicina

औषधि

vacuna

खोप

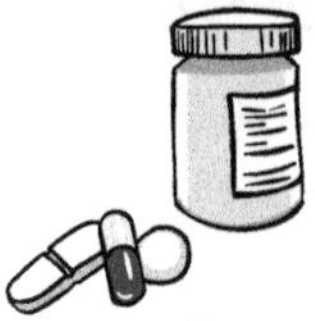

píndoles

ट्याब्लेटहरू

pastilla

चक्की

trucada d'emergència

आकस्मकि कल

monitor de pressió arterial

ब्लड प्रेसर मनटिर

malalt / sa

अस्वस्थ / स्वस्थ

emergència

आकस्मकि

Socors!

मद्दत गर्नुहोस्!

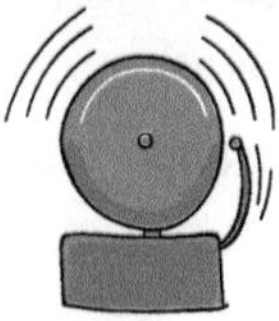

alarma

अलार्म

assalt

आक्रमण

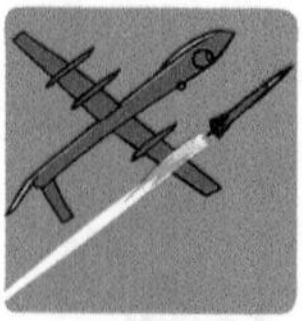

atac

आक्रमण

perill

खतरा

sortida d'emergència

आकस्मकि नस्किने

Foc!

आगलागी!

extintor

आगो नभिाउने

accident

दुर्घटना

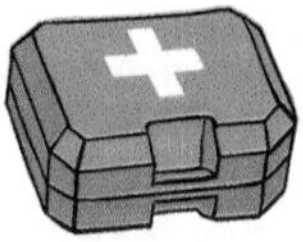

kit de primers auxilis

प्राथमकि उपचार सामग्री

SOS

□□□

policia

प्रहरी

terra
पृथ्वी

Europa

युरोप

Amèrica del Nord

उत्तर अमेरिका

Amèrica del Sud

दक्षिण अमेरिका

Àfrica

अफ्रिका

Àsia

एशिया

Austràlia

अष्ट्रेलिया

Atlàntic

एटलान्टिक

Pacífic

प्रशान्त

Oceà Índic

भारतीय महासागर

Oceà Antàrtic

एन्टार्कटिक महासागर

Oceà Àrtic

आर्कटिक महासागर

pol nord

उत्तरी ध्रुव

pol sud

दक्षणिी ध्रुव

Antàrtida

अन्टार्कटकि

terra

पृथ्वी

país

जमनि

mar

समुद्र

illa

द्वीप

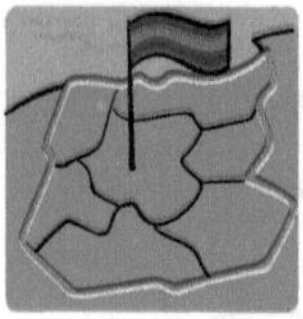

nació

राष्ट्र

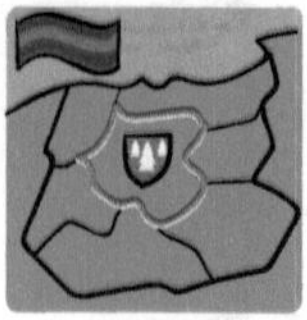

estat

राज्य

rellotge
घडी

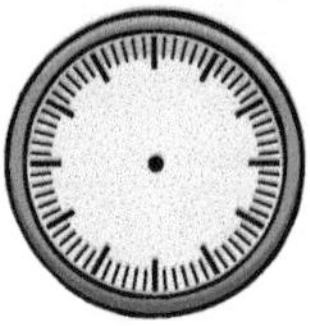

esfera

घडीको डायल

agulla de les hores

घण्टा सुइ

agulla dels minuts

मनिट सुइ

agulla dels segons

सेकेण्ड सुइ

Quina hora és?

कति बज्यो?

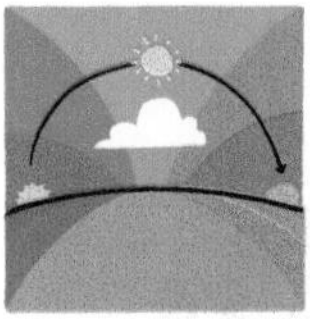

dia

दनि

temps

समय

ara

अब

rellotge digital

डजिटिल घडी

minut

मनिट

hora

घण्टा

setmana

सप्ताह

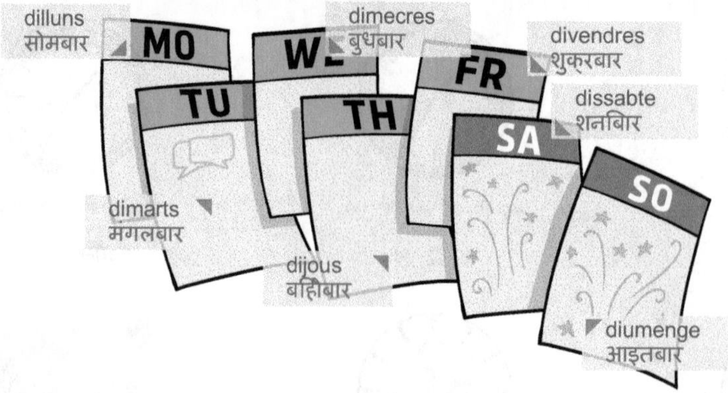

ahir

हजिो

avui

आज

demà

भोलि

matí

बहिान

migdia

दउिँसो

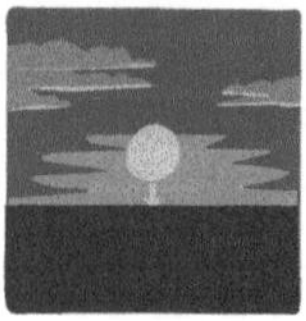

tarda

साँझ

dia laboral

कार्य दनि

cap de setmana

सप्ताहान्त

any
वर्ष

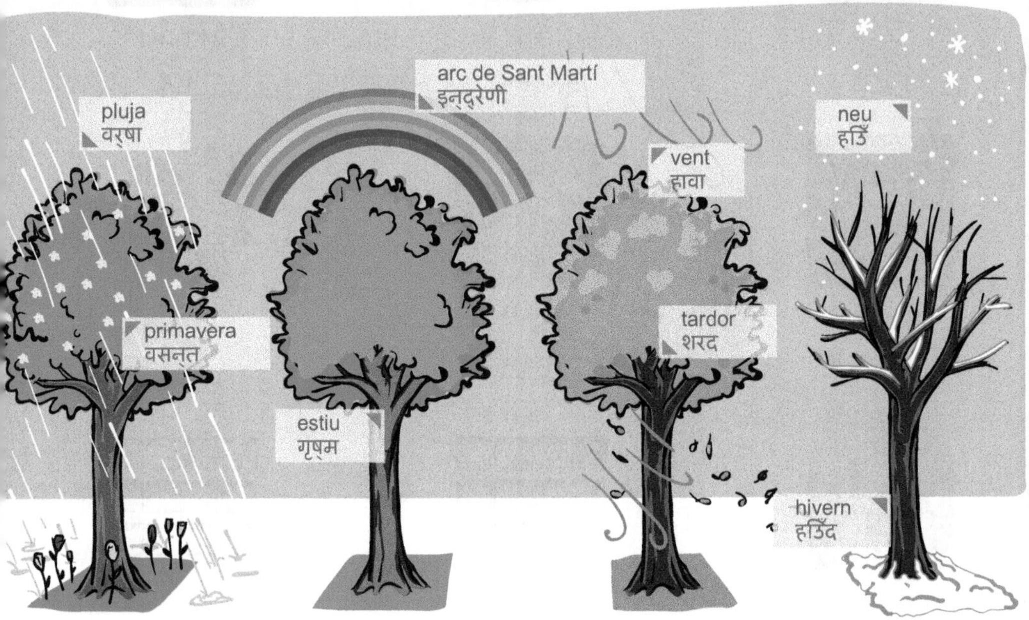

pronòstic del temps
मौसम पूर्वानुमान

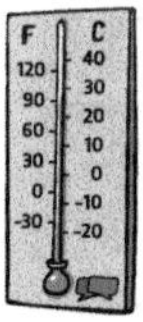

termòmetre
थर्मोमटिर

llum del sol
घाम

núvol
बादल

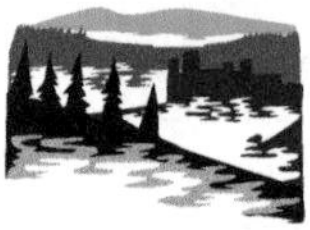

boira
कुहिरो

humitat de l'aire
चिस्यान

llamp

चट्याङ

tro

चट्याङ

tempesta

आँधी

calamarsa

असिना

monsó

मनसुन

plenamar

बाढी

gel

बरफ

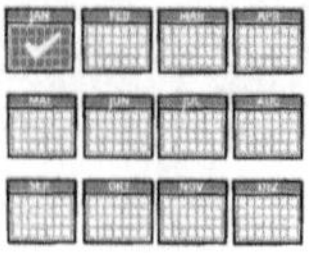

gener

जनवरी

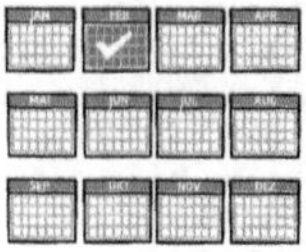

febrer

फेब्रुअरी

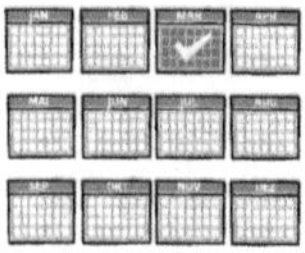

març

मार्च

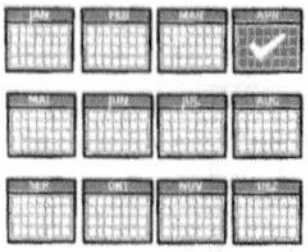

abril

अप्रिल

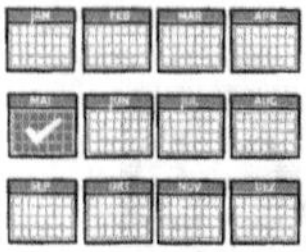

maig

मे

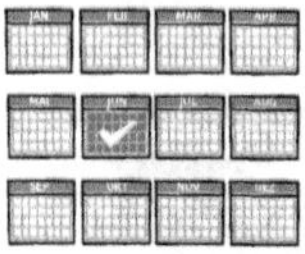

juny

जुन

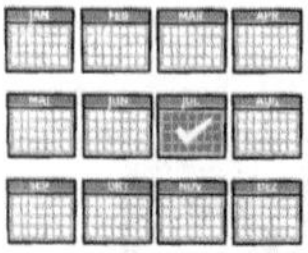

juliol

जुलाई

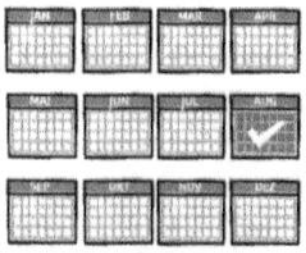

agost

अगस्ट

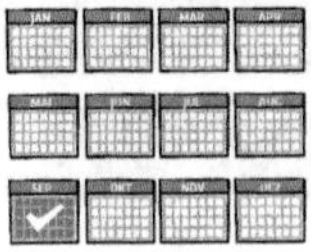

setembre

सेप्टेम्बर

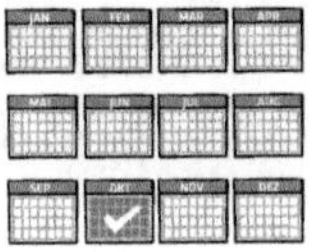

octubre

अक्टोबर

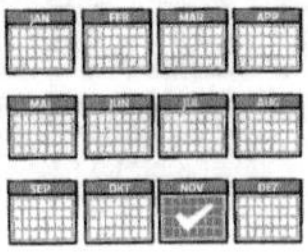

novembre

नोभेम्बर

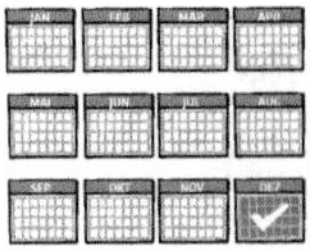

desembre

डिसेम्बर

formes

आकार

cercle

सर्कल

quadrat

वर्ग

rectangle

आयत

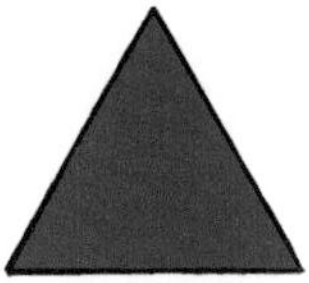

triangle

त्रिकोण

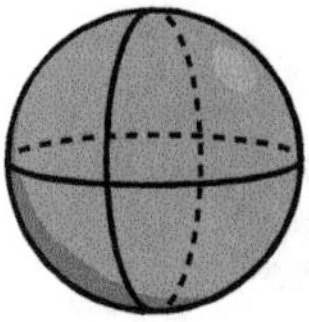

esfera

क्षेत्र

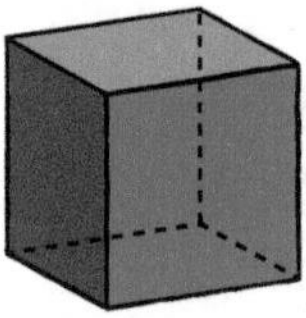

cub

घन

colors

रङ

blanc

गुलाबी

groc

खैरो

taronja

पहेँलो

rosa

बैजनी

vermell

रातो

lila

खैरो

blau

नीलो

verd

कालो

marró

सुन्तला

gris

सेतो

negre

हरियो

contrari
वपिरीतार्थक

molt / poc

धेरै / थोरै

furiós / pacífic

क्रोधति / शान्त

maco / lleig

सुन्दर / कुरुप

començament / final

सुरु / अन्त

gran / petit

ठूलो / सानो

clar / fosc

उज्यालो / अँध्यारो

germà / germana

भाइ / बहनिी

net / brut

सफा / फोहोर

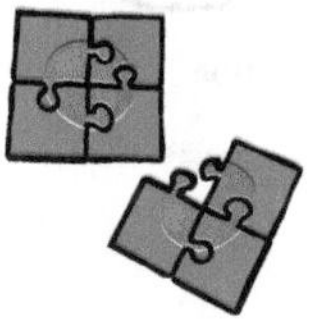

complet / incomplet

पूरा / अपूरण

dia / nit

दनि / रात

mort / viu

मृत / जीवति

càlid / fresc

फराकलिो / साँघुरो

comestible / immenjable

खान योग्य / खाना अयोग्य

dolent / agradable

दुष्ट / दयालु

excitat / avorrit

उत्साहति / नरमाइलो लाग्यो

gros / prim

मोटो / पातलो

primer / finalment

पहलिो / अन्तमि

amic / enemic

मति्र / शत्रु

ple / buit

भरी / खाली

dur / tou

कडा / नरम

pesat / lleuger

गह्रुङ्गो / हलुको

gana / set

भोक / तर्खिा

malalt / sa

अस्वस्थ / स्वस्थ

il·legal / legal

अवैध / कानुनी

intel·ligent / ximple

बौद्धकि / मूरख

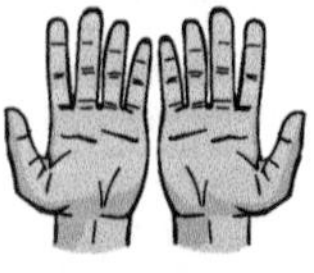

esquerra / dreta

बायाँ / दायाँ

proper / llunyà

नजकि / टाढा

nou / usat

नयाँ / प्रयोग

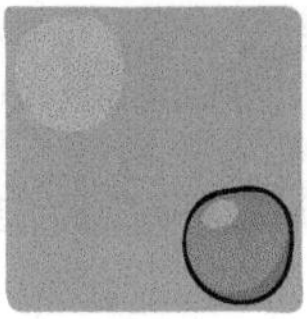

res / alguna cosa

केही / केहि

vell / jove

बृद्ध / जवान

encès / apagat

खुला बन्द

obert / tancat

खुला / बन्द

silenciós / sorollós

शान्त / ठूलो आवाजमा

ric / pobre

धनी / गरीब

correcte / incorrecte

सही / गलत

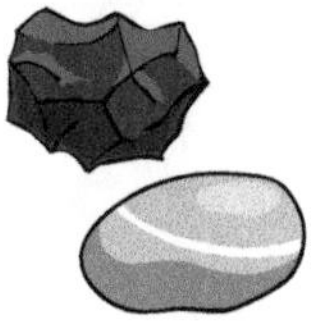

aspre / suau

खस्रो / चिल्लो

trist / content

दुःखी / खुसी

curt / llarg

छोटो / लामो

lent / ràpid

ढिलो / चाँडो

ampli / estret

भजिको / सुख्खा

humit / sec

न्यानो / सुन्दर

guerra / pau

युद्ध / शान्ति

números
संख्या

0

zero

शून्य

1

u

एक

2

dos

दुई

3

tres

तीन

4

quatre

चार

5

cinc

पाँच

6

sis

छ

7

set

सात

8

vuit

आठ

9

nou

नौ

10

deu

दस

11

onze

एघार

12

dotze

बाह्र

13

tretze

तेह्र

14

catorze

चौध

15

quinze

पन्ध्र

16

setze

सोह्र

17

disset

सत्र

18

divuit

अठार

19

dinou

उन्नाइस

20

vint

बीस

100

cent

सय

1.000

mil

हजार

1.000.000

milió

लाख

idiomes

भाषाहरू

anglès

अंग्रेजी

anglès americà

अमेरिकी अंग्रेजी

xinès mandarí

चिनियाँ माण्डारिन

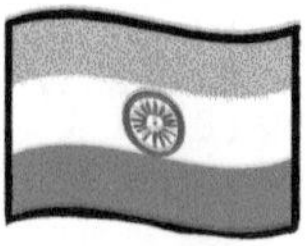

hindi

हिन्दी

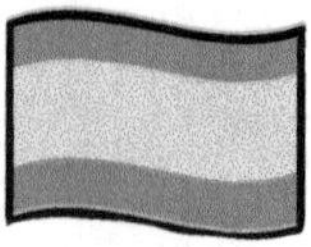

espanyol

स्पेनी

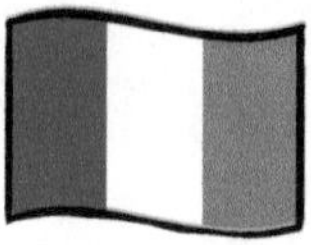

francès

फ्रान्सेली

aràbic

अरबी

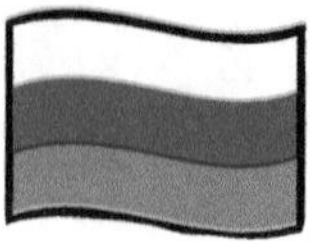

rus

रूसी

portuguès

पोर्तुगाली

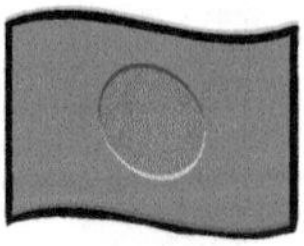

bengali

बंगाली

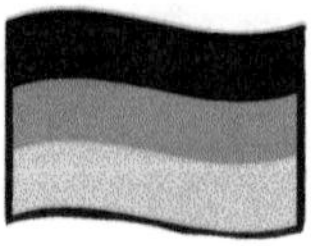

alemany

जर्मन

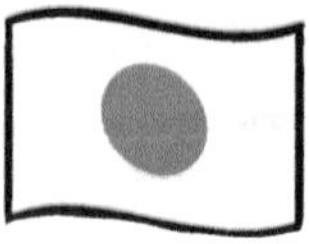

japonès

जापानी

qui / què / com
को / के / कसरी

jo

म

tu

तपाई

ell / ella / això

उ / उनी / यो

nosaltres

हामी

vosaltres

तपाई

ells

तनीहरू

qui?

को?

què?

के?

com?

कसरी?

on?

कहाँ?

quan?

कहलि?

nom

नाम

on

कहाँ

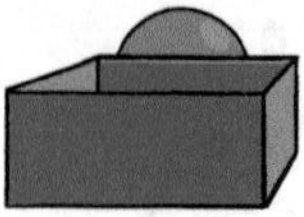

darrere

पछाडि

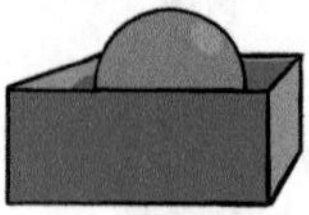

en

मा

davant de

अगाडि

sobre

माथि

a

मा

sota

मुनि

al costat

छेउमा

entre

बीच

lloc

ठाउँ